D0188022

¡LAS MOSCAS SABOREAN CON LAS PATAS!

HECHOS NOTABLES SOBRE LOS INSECTOS

UN LIBRO EXTRAÑO PERO REAL

**por
Melvin y Gilda Berger
ilustrado por Robert Roper**

SCHOLASTIC INC.

New York   Toronto   London   Auckland   Sydney

Mexico City   New Delhi   Hong Kong

Originally published in English
as *Strange World: Flies Taste with Their Feet*

Traducido por Rosana Villegas

ISBN 0-439-16555-5

12 11 10 9 8 7 6 5 4 3 2 1   0 1 2 3 4 5/0

Printed in the U.S. A.   40

First Scholastic Spanish printing, September 2000

Próximamente...

LAS RANAS TRAGAN CON LOS OJOS

HECHOS NOTABLES SOBRE LOS REPTILES Y LOS ANFIBIOS

LOS INSECTOS SON ASOMBROSOS

LAS MOSCAS SABOREAN CON LAS PATAS

Las *moscas* tienen seis patas. Por supuesto, les sirven para caminar. ¡Pero también las usan para saborear! Se posan sobre la comida y, si está sabrosa, ¡le dan un sorbo!

Las abejas, las mariposas y las mariposas nocturnas también saborean con las patas. Algunas plantas les gustan más que otras. Cuando se posan sobre una flor, las patas les indican si vale la pena comérsela.

Muchas mariposas sólo ponen sus huevos en las hojas de determinadas plantas. Para ello caminan sobre una de las hojas. Si ésta pasa la prueba de sabor, se quedan allí.

¿SABÍAS QUE...?

- **La mayoría de los insectos perciben cuatro sabores: dulce, ácido, salado y amargo. ¡Los mismos cuatro sabores que tú sientes con la lengua!**

LOS MOSQUITOS HUELEN CON LAS ANTENAS

Los *mosquitos* no tienen nariz. En su lugar tienen dos largas antenas sobre la cabeza. Estas antenas pueden oler la comida, el peligro y otros insectos.

Casi todos los insectos tienen antenas. Pero el que tiene mejor olfato es el *pavón* macho. ¡Esta mariposa nocturna puede oler una hembra desde una distancia de más de diez kilómetros!

¿SABÍAS QUE...?

- **Casi todos los insectos usan las antenas para oler. Pero algunos las usan, además, para sentir, saborear y oír.**

LOS SALTAMONTES RESPIRAN POR LOS COSTADOS

Los *saltamontes* respiran aire, al igual que los seres humanos y casi todos los insectos. Pero no tienen nariz ni pulmones. ¡Respiran a través de pequeños orificios distribuidos en los costados de su cuerpo! ¿Crees que estos orificios se tapan cuando el insecto está resfriado?

¿SABÍAS QUE...?

- Cada uno de estos orificios va hasta un largo conducto que se divide en conductos más y más pequeños. Estos conductos transportan el aire a todo el cuerpo del insecto.

LAS HORMIGAS PUEDEN VIVIR SIN CABEZA

Una vez, un científico le cortó la cabeza a una hormiga. ¡Lo que quedó de ella caminó durante más de un mes!

Los insectos tienen un cerebro principal en la cabeza y pequeños cerebros en otras partes del cuerpo. Necesitan la cabeza y el cerebro principal para comer. Con los cerebros pequeños pueden caminar, volar y poner sus huevos... hasta que se mueren de hambre.

¿SABÍAS QUE...?

- Se cree que algunos insectos, como la libélula y la abeja, son sordos.

LOS GRILLOS OYEN CON LAS RODILLAS

Si buscas las orejas de un *grillo*... ¡no las vas a encontrar! Entonces, ¿cómo oyen los grillos?

Los grillos y las *chicharras* oyen con unas pequeñas depresiones que tienen cerca de las rodillas de las patas delanteras. Estas depresiones funcionan del mismo modo que los tímpanos de tu oído: captan las ondas sonoras y envían el mensaje al cerebro.

Pero no todos los insectos tienen estas depresiones en el mismo lugar. Las langostas, las mariposas nocturnas y los saltamontes tienen los "oídos" en los costados. Las mariposas oyen con unas depresiones que tienen cerca de la base de las alas.

Muchos otros insectos oyen con un vello muy fino. Los mosquitos y las hormigas tienen antenas velludas. ¡Las orugas están totalmente cubiertas de vello!

LAS LIBÉLULAS LO VEN CLARO

Al igual que la mayoría de los insectos, las *libélulas* tienen dos ojos enormes, cada uno formado por muchas lentes distintas. Los ojos de la libélula son los que tienen más lentes de todos. ¿Creerías que cada ojo tiene 30.000 lentes?

Todas estas lentes juntas le permiten al insecto ver al frente, atrás y a los lados. ¡No lo olvides si algún día quieres atrapar una libélula!

¿SABÍAS QUE...?

- **Casi todos los insectos pueden ver con claridad hasta aproximadamente un metro de distancia. Más allá, lo ven todo borroso.**

EL RINCÓN DE LA RISA

¿Alguna vez oíste hablar del doctor que enloqueció al tratar de ajustar los anteojos de una libélula?

ESTADÍSTICAS ASOMBROSAS

- ¡Por cada persona que vive en la tierra hay un millón de insectos!

- ¡Los insectos son cuatro veces más numerosos que todo el resto de los animales juntos!

- ¡En dos kilómetros cuadrados de terreno rural hay más insectos que seres humanos en todo el mundo!

MINIATURAS VIGOROSAS

En relación a su tamaño, los insectos son mucho más fuertes que los seres humanos. ¡Una homiga puede levantar una migaja 50 veces más pesada que ella! Si tú tuvieras esa fuerza, podrías levantar una tonelada de ladrillos.

Una *pulga* puede saltar hasta treinta centímetros. Si tú pudieras dar un salto así, ¡atravesarías dos campos de fútbol a lo largo!

Las *cucarachas* pueden correr a una velocidad de cuatro kilómetros por hora. En proporción, ¡tú podrías correr a más de 200 kilómetros por hora!

DISFRACES GRANDIOSOS

Los insectos son muy pequeños y tienen muchos enemigos. Afortunadamente pueden camuflarse, lo que hace difícil encontrarlos.

Algunas mariposas, como las de la familia *Ithomiidae* y *Pieridae*, tienen alas "transparentes". Cuando se posan sobre una planta, ¡se vuelven casi invisibles!

Las *chicharras* y algunos *saltamontes de antenas largas* parecen hojas verdes. Algunas orugas de mariposas nocturnas tienen aspecto de plantas secas.

El *insecto palo* y los *gusanos medidores* se confunden con ramas secas.

La *mantis*, la *chinche del bosque* y los geométridos se camuflan entre las cortezas de los árboles.

EL RINCÓN DE LA RISA

¿Has visto algún insecto guapo?

¡No, todos son "infeosectos"!

MARCAS NOTABLES

El vuelo más veloz: ¡Se han llegado a cronometrar vuelos de libélulas de casi 50 kilómetros por hora!

El aleteo más veloz: La mejor marca es la de la *mosca de agua picadora:* ¡más de 60.000 aleteos por minuto!

El aleteo más lento: La *mariposa golondrina* se desplaza con pereza y sólo da 300 aleteos por minuto!

El más ruidoso: El canto de una *cigarra* macho se puede oír a más de un kilómetro de distancia.

El más pesado: El *escarabajo Goliat* de África encabeza la lista con 100 gramos.

El más largo: ¡El *insecto palo asiático* puede llegar a medir más de 30 centímetros!

El más pequeño: El insecto más pequeño que se conoce es un mimárido que mide unos 0.25 milímetros. Es tan pequeño que podría pasar por el ojo de una aguja.

El más longevo: ¡Algunas *termitas* reina viven hasta cincuenta años!

El menos longevo: ¡La mayoría de las *efímeras,* viven menos de un día!

MOSCAS, PULGAS
Y MOSQUITOS

SÓLO LÍQUIDOS

Las moscas suelen posarse sobre el pan, los pasteles o la fruta. Sin embargo, sólo pueden ingerir líquidos, nunca sólidos. Entonces, ¿qué hacen?

Antes de comer, la mosca escupe sobre la comida. Esto convierte la comida en líquido. Luego, la mosca baja la cabeza y absorbe la comida con la boca, como si fuera una esponja.

PATAS CON TRUCO

¡Imagínate que pudieras caminar por las paredes, colgarte de los techos y trepar por espejos y ventanas! ¡Todo eso es muy sencillo para las moscas domésticas!

Las moscas expulsan un líquido pegajoso por el vello hueco de sus patas. Este líquido hace que se puedan sujetar y al mismo tiempo les permite levantar las patas para desplazarse.

OJO POR OJO

¿Qué tiene de raro la *mosca de ojos pedunculados*? Que sus ojos están en la punta de un par de antenas largas y delgadas. ¡La distancia que hay entre los dos ojos es mayor que la que hay entre la cola y la cabeza!

A veces estas moscas se pelean entre sí. Se colocan una frente a la otra y comparan la longitud de sus antenas. La que tiene las antenas más largas gana la pelea, ¡sin derramar ni una gota de sangre!

NARIZ PUNTIAGUDA

La *mosca tsé-tsé* suele posarse sobre las personas o los animales. Tiene en la cabeza un pico largo y puntiagudo, que está tan afilado que puede atravesar cualquier cosa, ¡desde la piel de un rinoceronte hasta un abrigo grueso! La mosca clava el pico en el cuerpo de la víctima y bebe su sangre.

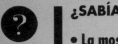

¿SABÍAS QUE...?

• La mosca tsé-tsé es portadora de los gérmenes mortales que provocan la enfermedad del sueño. Cerca de 20.000 personas mueren al año a causa de esta enfermedad.

ALIMENTO PARA EL ESPÍRITU

Algunos insectos jamás aumentan de peso. Una pulga vivió sin comer en un laboratorio durante casi seis años. Las *efímeras* y las *moscas de agua no picadoras* no comen nada en absoluto.

¿SABÍAS QUE...?

• Las orugas sólo pueden sobrevivir unas cuantas horas sin comer.

MÁQUINA VOLADORA

Por lo general, las moscas vuelan hacia delante. Pero las *moscas de vuelo sustentable*, los *abejorros*, las *moscas de las flores* y las *libélulas* pueden volar hacia adelante y hacia atrás. ¡Incluso pueden quedarse suspendidos como los helicópteros!

UN MUNDO EXTRAÑO

¿SABÍAS QUE...?

- **Las moscas sólo tienen un par de alas y no dos. No necesitan correr o saltar para elevarse. Sólo baten las alas y... ¡a volar se ha dicho!**

MARCAS NOTABLES

La más pequeña: La mosca de agua picadora sólo mide un milímetro de longitud.

La más grande: La *mosca Midas* de América del Sur mide 35 centímetros de la cabeza a la cola y 35 centímetros del extremo de un ala al otro.

La más veloz: Las moscas domésticas vuelan a unos 7 kilómetros por hora. ¡Y si están tratando de escapar de un matamoscas, pueden volar todavía más rápido!

El vuelo más largo: ¡Una *drosófila* voló durante seis horas y media, sin parar!

UN MAL HIJO

La *mosca de agua productora de agallas* nace de un huevo en el interior de su madre. ¡Y se alimenta de sus entrañas! Cuando ya es adulta, abandona el cuerpo muerto de su madre, del que sólo queda un caparazón muerto.

¿SABÍAS QUE...?

- La *mosca de agua africana* no le teme al frío. A una de estas moscas se le sometió a temperaturas de 230°C bajo cero... ¡y sobrevivió!

OJO POR OJO

Los *tábanos* recién nacidos son pequeños y parecen gusanos. En esa etapa de su vida se les llama larvas. Estas larvas viven en las orillas de las charcas y se alimentan de pequeños renacuajos.

Con el tiempo, las larvas se convierten en libélulas y los renacuajos se convierten en sapos. ¿Qué crees que pasa después? Los sapos cambian los papeles: ¡se alimentan de libélulas!

EL RINCÓN DE LA RISA

CLIENTE: Mesero, ¿qué hace esta mosca en mi sopa?

MESERO: ¡Parece que está nadando de espaldas!

MORDISCOS ÚTILES

La *mosca de la carne*, o *moscarda*, puede percibir el olor de un animal muerto en segundos y desde muy lejos. Luego, vuela hasta el cadáver y pone sus huevos en él. Horas más tarde, las larvas salen de los huevos y mordisquean la carne.

Durante mucho tiempo, los médicos pensaban que era muy peligroso que se metieran las larvas de esta mosca en una herida abierta. Luego descubrieron que estas larvas sueltan un químico que ayuda a curar las heridas. Hoy en día, esta sustancia se prepara en los laboratorios.

¿SABÍAS QUE...?

• **Los expertos utilizan los huevos y las larvas de la mosca de la carne para determinar el tiempo que lleva muerto un animal o una persona. Los resultados se han utilizado como pruebas en los tribunales.**

VÍAS ALTERNAS

Las larvas del *moscardón* invaden el cuerpo de su víctima de formas muy extravagantes. Hay un tipo de moscardón que pone sus huevos en la quijada o los labios de los caballos. Luego, las larvas se arrastran hasta el interior del animal a través de su boca.

Hay otro tipo de moscardón que pone sus huevos en las patas o el lomo del ganado. Las larvas perforan la piel del animal para llegar al interior de su cuerpo, donde comen y crecen. ¡Incluso hacen orificios en la piel del animal para poder respirar! Al cabo de un año, las larvas salen, se convierten en moscardones y se alejan volando.

OCULTOS EN INSECTOS

El *pulgón* o *áfido* se reproduce muy rápidamente. Una hembra de pulgón puede llegar a engendrar 50 crías en una semana. La mayoría de los pulgones recién nacidos son devorados por arañas o mariquitas. ¿Qué pasaría si sobrevivieran todos los pulgones que nacen en un año? ¡Formarían una capa alrededor de la Tierra de unos 170 kilómetros de altura!

¿SABÍAS QUE...?

• Muchos áfidos ápteros, es decir, sin alas, pasan toda su vida sobre la planta en la que nacieron.

GRANDES ACRÓBATAS

¡Las pulgas pueden saltar 100 veces su altura y arrastrar 50 veces su peso! Nada mal para un insecto que mide menos de 3 milímetros de longitud.

EL RINCÓN DE LA RISA

¿Qué le dice una pulga a otra al salir del cine?

¿Nos vamos a pie o esperamos a un perro?

PULGAS DESALMADAS

Las *pulgas de las ratas* son pequeñas y parecen normales. ¡Pero son unas asesinas despiadadas! Hace 600 años se cobraron la vida de 40 millones de europeos.

Estas pulgas viven en las ratas y se alimentan de su sangre. Al beber la sangre, ingieren gérmenes mortales. Después, cuando pican a una persona, estos gérmenes entran en su sangre y la enferman de peste bubónica. La persona contagiada muere en una semana.

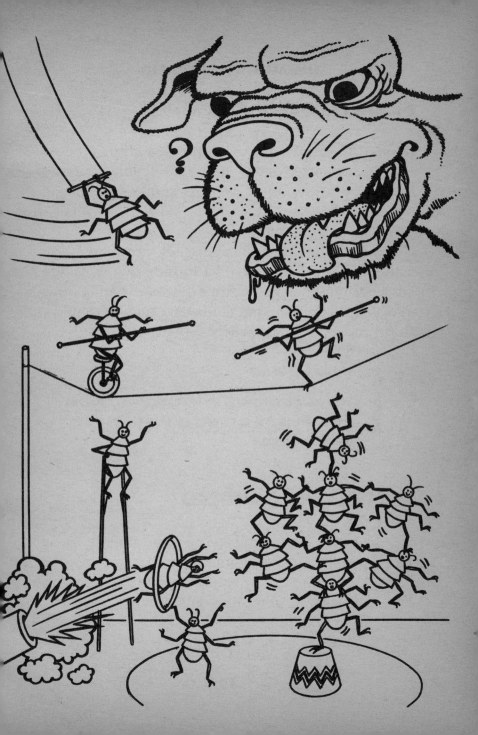

BEBEDORES EMPEDERNIDOS

¿Sabías que los *mosquitos* no pueden abrir la boca? Para alimentarse, apuñalan a sus víctimas. Esto lo hacen con la ayuda de las seis agujas huecas que tienen en la boca.

A través de una de estas agujas, el mosquito vierte saliva en la herida. La saliva impide que la sangre coagule, y el mosquito chupa a través de las otras agujas. La saliva es también la que causa esas picaduras rojas que tanto escuecen.

¿SABÍAS QUE...?

- **Sólo pican las hembras de los mosquitos. Pueden chupar hasta casi dos veces su peso en sangre antes de salir volando.**

PROPULSIÓN A CHORRO

Las libélulas adultas aletean graciosamente en el aire. Pero las jóvenes, llamadas ninfas, no pueden volar. Viven en el agua y parecen escarabajos sin alas. Para desplazarse, bombean agua dentro y fuera del intestino, y se impulsan como los aviones de propulsión a chorro.

¿SABÍAS QUE...?

• **La ninfa de una libélula come más de 3.000 insectos antes de llegar a adulta.**

FÓSILES COLOSALES

Unos excavadores encontraron el fósil de una libélula de 310 millones de años de antigüedad. Lo más extraño de todo es que medía más de 60 centímetros de largo. Esto es mucho más que las libélulas actuales, que suelen medir unos 5 centímetros.

MARIPOSAS Y MARIPOSAS NOCTURNAS

LAME QUE TE LAME

Cuando una *mariposa* se posa sobre una roca, parece que la está comiendo, pero en realidad la está *lamiendo*. Así es como las mariposas toman sal de las rocas.

EL RINCÓN DE LA RISA

¿Qué le dijo una mariposa macho a su novia?

¿Quieres ser mi "mariesposa"?

DISFRACES ESPANTOSOS

La oruga de la *mariposa golondrina* parece un excremento de pájaro. ¡Por eso ningún animal se quiere acercar! ¡Qué asco!

?

UNOS POR OTROS

Los insectos que tienen colores muy llamativos suelen ser venenosos o tener mal sabor. Los otros animales aprenden a no acercarse. Tal es el caso de la *mariposa monarca*, que es de un color anaranjado brillante. Sus enemigos saben que tiene un sabor espantoso y no la molestan.

La mariposa llamada *falsa monarca* no es venenosa ni tiene mal sabor, pero se parece a la monarca. ¡Eso la defiende del ataque de muchos animales!

¡NO TOCAR!

La *polilla silla de montar* es de un color verde muy vistoso con una "silla" color café en el medio. ¡Pero cuidado! Su vello es venenoso. Si tocas esta oruga te saldrá un sarpullido y tendrás fiebre alta.

VIAJERAS A DISTANCIA

Cada otoño, millones de mariposas monarca vuelan desde el norte de los Estados Unidos y Canadá hacia el sur. ¡Muchas de ellas recorren más de 3.000 kilómetros y llegan a México! Pero muy pocas regresan. Las hembras ponen sus huevos en el viaje de regreso. Las adultas mueren... y la nueva generación vuelve a casa sola.

VUELO DE INSPECCIÓN

Podría pensarse que la hembra de la *mariposa de mármol blanco* es un poco tonta. Para poner sus huevos, vuela sobre un terreno cubierto de hierba y los deja caer. Pero estos huevos se adhieren a las hojas de la hierba y, cuando las orugas nacen, ¡la comida las está esperando!

LLUVIA ROJA

Cuando una mariposa sale de su crisálida, o capullo, lanza un chorro de excremento líquido. Algunas de ellas, como las *moteadas*, arrojan un fluido rojo. ¡Si varias mariposas nacen a la vez, parece que está cayendo lluvia roja!

?

¿SABÍAS QUE...?
- La sangre de los insectos suele ser incolora, o de un color pajizo o verde pálido. La sangre llena todos los espacios vacíos del cuerpo del insecto.

ANTICONGELANTE NATURAL

La *mariposa ártica amarilla* vive en lugares en donde las temperaturas suelen estar bajo cero. Para no congelarse, calienta sus alas al sol. En su sangre tiene un líquido parecido al anticongelante de los automóviles, que evita que la sangre se congele.

¿SABÍAS QUE...?
- Las mariposas no pueden volar si la temperatura de su cuerpo baja de los 30°C.

LIMPIEZA OCULAR

Las patas delanteras cubiertas de pelo de la *mariposa pies de cepillo* no le sirven para caminar. Las utilizan para eliminar las partículas de polvo que caen en sus ojos.

OÍDOS TAPADOS

Las antenas de la *polilla* suelen cubrirse de polen. Esto les impide oír bien. ¿Cómo lo remedia? Sencillamente sube las patas hasta las antenas y limpia, limpia y limpia.

¿SABÍAS QUE...?

- **Las polillas adultas no se comen la ropa de lana. Son sus orugas las que lo hacen.**

SEDIENTAS DE SANGRE

La *mariposa nocturna de Malasia* no come néctar, como la mayoría de las mariposas nocturnas. ¡Se alimenta de sangre! Sus víctimas suelen ser los búfalos y otros animales grandes. Una mariposa nocturna hambrienta se puede pasar una hora chupando sangre.

EL RINCÓN DE LA RISA

¿Por qué las polillas no fueron al cine?

Porque pasaban la película **Naftalina.**

SORPRESAS SEDOSAS

La oruga de la *mariposa de la seda* se llama gusano de seda. ¡Su capullo está hecho de un solo hilo de seda de casi un kilómetro de longitud!

El *gusano de seda americano* silvestre aumenta su peso 4.000 veces antes de convertirse en una mariposa adulta. La oruga de la *mariposa polyfemus* tiene un apetito todavía mayor. Multiplica su tamaño 80.000 veces en sólo dos días.

MARCAS NOTABLES

La mariposa más grande: La *mariposa reina Alexandra* puede llegar a medir unos 30 centímetros.

La mariposa más pequeña: La *mariposa pigmea occidental* mide unos 6 milímetros de una punta del ala a la otra.

La mariposa nocturna más grande: La *mariposa nocturna Hércules*, de Australia, puede medir más de 30 centímetros.

La mariposa nocturna más pequeña: Algunas miden sólo 3 milímetros de ancho.

ABEJAS, AVISPAS, HORMIGAS Y TERMITAS

FUERZA BRUTAL

Un *abejorro* arrastró un auto de juguete que pesaba 300 veces más que él. Si tú tuvieras la fuerza de un abejorro, podrías arrastrar un camión de 10 toneladas.

¿SABÍAS QUE...?

• La mayoría de las abejas pican una vez y se mueren. No así el abejorro, que puede picar una y otra vez.

CLIMA ARTIFICIAL

Las *abejas melíferas* pueden calentar y enfriar sus colmenas. En verano, algunas de ellas vuelan hasta la entrada de la colmena y agitan las alas. Esto extrae el aire caliente, que es reemplazado por aire más fresco. En invierno, las abejas forman una gran bola, y juntas se agitan y tiemblan para elevar su temperatura. ¡Eso se llama compañerismo!

SIN PIEDAD

La *abeja asesina* pica sin ningún motivo. Correr no sirve de nada. Las abejas vuelan más rápido de lo que tú puedes correr y son capaces de perseguirte durante casi 2 kilómetros.

Algunas veces, cientos de abejas asesinas se posan sobre su víctima. Sus aguijones atraviesan la ropa y la piel e inyectan un veneno casi cuatro veces más potente que el de la cobra.

¿SABÍAS QUE...?

- **Las abejas asesinas tienen las mismas rayas amarillas que las abejas ordinarias, pero son un poco más pequeñas y menos pesadas.**

AVARO Y VORAZ

Las *avispas parásitas* ponen docenas de huevos dentro de orugas que están vivas. Cuando los huevos maduran, las jóvenes avispas se alimentan de la carne de la oruga. Más tarde, salen por uno de sus costados.

CÍRCULOS DE FUEGO

Muchas hormigas pican, pero las peores son las *hormigas de fuego*. ¡Éstas pican y pican!

La hormiga de fuego clava la mandíbula en la piel de su víctima. Luego baja la parte trasera de su cuerpo y pica. Con la mandíbula fija, gira y pica de nuevo. Una y otra vez, la hormiga gira y pica, gira y pica, gira y pica. Cuando termina, la víctima tiene un pequeño círculo de heridas de un color rojo intenso que son muy dolorosas.

¿SABÍAS QUE...?

• **Las hormigas de fuego pican a unos 5 millones de estadounidenses al año. Casi un millón de sus víctimas necesita tratamiento médico. Unos doce de ellos mueren por las heridas.**

ALMACENERAS

Las *hormigas recolectoras* recogen semillas y las mastican para formar una pulpa llamada "pan de hormiga". Esta sustancia la almacenan en sus nidos y la utilizan cuando escasea la comida.

USURPADORAS DE MIEL

Las *hormigas odre*, u *hormigas mieleras*, capturan pequeños insectos llamados áfidos, por una buena razón. Los áfidos beben los jugos de las plantas y producen un líquido que se llama "ligamaza". En sus nidos, las hormigas frotan a los áfidos con sus antenas. Cada áfido produce una gota de ligamaza, que las hormigas beben ávidamente.

Algunas hormigas odre beben tanta ligamaza que el abdomen se les hincha tanto que parecen una canica. Estos almacenes vivientes se contonean dentro del nido o se cuelgan del techo. Cuando escasea la comida, sueltan la miel para alimentar a las hormigas hambrientas.

TRABAJOS FORZADOS

Las *hormigas del Amazonas* capturan a otras hormigas y las hacen sus esclavas. Sus esclavas las alimentan, les construyen sus nidos y cuidan a sus bebés. ¿Por qué necesitan ayuda las hormigas del Amazonas? ¡Porque no pueden atrapar la comida con sus grandes mandíbulas curvas!

¿SABÍAS QUE...?

- Algunas hormigas del Amazonas viven en áreas inundadas cerca del río Amazonas y, en lugar de construir sus hormigueros en la tierra, los construyen en los árboles.

ATAQUE ARMADO

Las *hormigas legionarias* se desplazan en grandes grupos en los que puede haber entre 10.000 y varios millones de hormigas. Estos grupos despiden un olor a carne podrida, y sus pasos hacen un fuerte ruido aterrador.

Nadie se salva de las hormigas legionarias. Atacan incluso a los animales más grandes. Se trepan a la víctima, abren las enormes mandíbulas afiladas y ¡ZAS!, las cierran de golpe en la carne. Sin soltar, tiran hasta desgarrar al animal, que tarde o temprano muere a causa de las heridas.

¿SABÍAS QUE...?

- Las hormigas legionarias son de color café y amarillo, en lugar de cafés o negras como las hormigas comunes. También son más grandes.

MARCAS NOTABLES

La más grande: ¡La *hormiga legionaria* de los trópicos puede llegar a medir más de dos centímetros de longitud!

La más pequeña: ¡La *hormiga faraón* es tan pequeña como una semilla de una manzana!

MÁQUINAS PONEDORAS DE HUEVOS

Las *termitas* viven en grupos muy grandes, al igual que las hormigas. Cada grupo tiene una reina, que puede ser 100 veces mayor que las termitas macho con las que se aparea, y 2.000 veces mayor que las termitas obreras.

Cuando la reina está llena de huevos, parece una salchicha con una pequeña cabeza en el extremo. Es tan pesada que no puede ni caminar, así que se queda sentada y empieza a poner huevos. ¡Puede llegar a poner uno cada tres segundos! ¡Esto hace un total de 30.000 huevos al día, o 100 millones de huevos a lo largo de su vida!

¿SABÍAS QUE...?

- En un nido de termitas puede haber 5 millones de termitas. ¡Todas nacidas de una sola reina!

EL RINCÓN DE LA RISA

¿Cuál es la película favorita de las termitas?

Terminator

GRANDES CONSTRUCTORES

Las *termitas de montículo negro* construyen los nidos de insecto más grandes del mundo. ¡El más grande registrado mide cerca de 13 metros! Los hacen de lodo y se mantienen frescos gracias a que tienen respiraderos integrados.

Las *termitas de la selva* construyen sus termiteros en las selvas tropicales donde llueve casi todos los días. Estos nidos tienen tapas en forma de paraguas. ¡Que llueva, que el nido permanecerá en buen estado y seco!

¿SABÍAS QUE...?

• Las termitas se parecen a las hormigas, pero tienen la cintura más gruesa.

EL RINCÓN DE LA RISA

¿Por qué hace ejercicio la termita?

¡Porque quiere tener cintura de hormiga!

ESCARABAJOS, GRILLOS Y SALTAMONTES

BATALLAS SANGRIENTAS

El *escarabajo rostro de sangre* se defiende de una manera muy graciosa. Cuando se asusta, arroja un chorro de sangre roja por la boca. ¡Y eso sin haber recibido ni un golpe!

La *mariquita* también arroja sangre, ¡pero su sangre es amarilla y huele que apesta! Lo que es peor, ¡le sale por las rodillas!

¿SABÍAS QUE...?

• En algunos lugares a las mariquitas también se les llama catarinas. Hace mucho tiempo, la gente creía que comerse una mariquita curaba el sarampión y otras enfermedades.

EL RINCÓN DE LA RISA

Cliente: Mesero, ¡hay una mariquita en mi sopa!

Mersero: ¡No se preocupe, no beberá mucho!

GUERRA QUÍMICA

¡Manténte lejos de los *escarabajos artilleros*! Cuando alguien los ataca, doblan el extremo posterior por debajo de su cuerpo y arrojan un veneno caliente y hediondo.

El *pinacate* arroja veneno a su peor enemigo, el ratón saltamontes. Pero el ratón sabe cómo manejarlo. Captura al escarabajo y lo entierra por la parte trasera para impedirle disparar. Esto le da al ratón el tiempo suficiente para comerse al insecto.

BOLAS DE ESTIÉRCOL

Los *escarabajos peloteros* viven cerca de los grandes rumiantes. Utilizan los excrementos de éstos para formar unas bolas que se llevan rodando y luego las entierran. Las hembras ponen sus huevos en estas bolas enterradas. Cuando los bebés escarabajo nacen, se alimentan del estiércol.

¿SABÍAS QUE...?

- Los antiguos egipcios creían que los escarabajos peloteros eran criaturas sagradas. Los llamaban *scarabs*. Tallaban pequeños escarabajos de piedra que usaban como amuletos.

CLANDESTINIDAD

La hembra del *escarabajo descortezador* pone sus huevos debajo de la corteza de los árboles. Las larvas, que son alargadas y cilíndricas, pueden vivir en el árbol durante mucho tiempo.

Hace unos años, alguien encontró una larva viva de estos escarabajos en la madera del piso de una iglesia que se había construido hacía unos 50 años. ¡Imagínate estar enterrado vivo durante medio siglo!

EXTRAÑA CANCIÓN DE AMOR

El *escarabajo barrenillo* atrae a las hembras de una manera muy extraña. ¡Golpea la cabeza contra las viejas vigas de madera del edificio en el que vive la hembra! Ella contesta de la misma manera.

Hace mucho tiempo se pensaba que si se oían los golpes de este escarabajo, quería decir que alguien de la casa se iba a morir. Por eso a veces se le llama escarabajo de la muerte.

INSECTOS EXCÉNTRICOS

Los *molinetes* son unos pequeños y extraños escarabajos que viven en estanques y arroyos tranquilos. Se llaman así por su forma de girar sobre el agua formando círculos.

Para mantenerse a salvo, los molinetes tienen que ser capaces de ver en el aire y en el agua al mismo tiempo. ¡Para ello tienen los ojos divididos! La parte superior del ojo ve por encima de la superficie, y la parte inferior, por debajo de ella.

LUCES BRILLANTES

¿Has visto un insecto que brille en la oscuridad? Bien, ése es el caso de las *luciérnagas*. De día parecen escarabajos comunes y corrientes, pero de noche despiden una luz centelleante que les ayuda a encontrar pareja.

Los *gusanos de luz* son larvas de insectos vermiformes y de costados brillantes. Llevan colgando unos hilos de saliva largos y viscosos. Si un insecto pasa volando a su lado, se queda atrapado en la saliva y pronto muere devorado.

UN MUNDO EXTRAÑO

¿SABÍAS QUE...?

• **Las luciérnagas no son mariposas ni gusanos, son escarabajos.**

GRILLOS AL ACECHO

En Japón, los *grillos arborícolas* a veces sirven de alarma. Por lo general, cantan durante toda la noche. ¡Pero dejan de hacerlo si alguien se acerca demasiado! ¡Una interrupción en su canto significa peligro!

Los japoneses alimentan a sus grillos con pepino, lechuga, castañas y algunas leguminosas. A veces el dueño mastica la comida para ablandarla antes de dársela al grillo. A los grillos enfermos les dan mosquitos mezclados con miel, en unos platos especiales de color azul y blanco. ¡Eso se llama consentir al guardián!

¿SABÍAS QUE...?

• **Los grillos cantan más rápido cuando el clima es cálido y más despacio cuando hace frío. Los grillos no tienen voz; para cantar, frotan sus alas una contra la otra.**